AR THÓIR NA CAILÍSE

Karen Tazi

a scríobh agus a mhaisigh

Máirtín Ó Cléirigh a d'aistrigh

Oiriúnach do pháistí ó 8 go 11 bhliain d'aois

AN GÚM
Baile Átha Cliath

Bhí an tArd-Mhúsaem an-chiúin. Ní raibh ach seacht lá le
dul go dtí go n-osclódh Uachtarán na hÉireann an sciathán
nua go hoifigiúil. Bheadh an músaem dúnta don phobal go
dtí an lá mór.

Bhí Tíogar, an t-oifigeach slándála, agus Lil, an glantóir, ag iarraidh a chinntiú go mbeadh gach uile rud chomh glan le criostal i gcomhair chuairt an Uachtaráin.

'Cuir snas ar na seoda sin,' arsa Tíogar. 'Ba mhaith liom go mbeadh an tUachtarán in ann a scáil féin a fheiceáil iontu.'

An tráthnóna sin díreach agus Tíogar ar tí dul abhaile is ea a tharla an tubaiste! An raibh rud éigin ar a shúile? Ní raibh. Díreach os a chomhair, san áit a mbíodh Cailís Ardach ina seasamh go maorga, bhí .... dada! Spás folamh! Bhí Cailís Ardach imithe! Bhraith sé a chroí ag bualadh mar a bheadh druma mór ina ucht.

'Choinnigh mé súil ghéar ar na seoda luachmhara sin leis na blianta agus anois tá Cailís Ardach goidte ag duine éigin,' arsa Tíogar go croíbhriste.

Chuir Tíogar an músaem faoi ghlas. Rith sé síos na céimeanna agus amach faoi aer fuar an tráthnóna. Bhí a chroí fós ag bualadh go tréan. Shocraigh Tíogar ar chuairt a thabhairt ar bhean feasa, Madame Yoland.

'Feicim do chailís mhór álainn,
I bpríomhchathair ársa ar bhruach abhann,
Áit a bhfuil flúirse eaglaisí breátha,
Scríbhneoirí agus péintéirí le fonn!'

'Notre-Dame, Sacré-Coeur, An tSéin, Monet! Caithfidh gur i bPáras atá sí!' arsa Tíogar leis féin. 'Sea, gan dabht, tá an chailís i bPáras!'

An lá dár gcionn bhrostaigh Tíogar go dtí Dún Laoghaire, áit a ndeachaigh sé ar an mbád go dtí an Bhreatain Bheag. As sin thaistil sé ó dheas go Dover, áit a ndeachaigh sé ar bhád eile chun na Fraince.

'A Pháras, a chathair na soilse, tá Tíogar ag teacht,' ar seisean de bhéic.

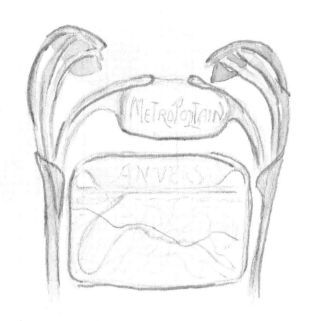

An mhaidin dár gcionn
shroich Tíogar Páras.
Thaistil sé ar an *métro*
go dtí na músaeim
agus na dánlanna ar
fud na cathrach.

Thug sé cuairt ar Thúr Eiffel
agus ar Ardeaglais Notre-Dame.

Agus gloine bhlasta de
shú úr oráistí á ól aige
thug sé chun cuimhne
a ndúirt Madame
Yoland.

Rinne sé caol díreach ar Shacré-Coeur mar bhí a fhios
aige gur díreach taobh thiar den eaglais cháiliúil sin a
bhí Montmartre, an áit a mbíonn péintéirí Pháras ag obair.
   'Tá mé cinnte go bhfaighidh mé eolas éigin faoin
   gcailís anseo,' arsa Tíogar leis féin.
Díreach ansin labhair duine de na péintéirí leis:
   'Ar mhaith le Monsieur go ndéanfaí a phortráid a
   phéinteáil?'

Shuigh Tíogar agus rinne an péintéir portráid de. Ar feadh tamaillín lig sé i ndearmad an fáth ar tháinig sé go dtí cathair álainn Pháras.

'Nach mé atá dathúil,' ar seisean agus é ag breathnú go sásta ar a phortráid.

Tháinig an tráthnóna ach ní raibh leide ar bith faighte ag Tíogar faoin gcailís. Bhí sé ag ithe a dhinnéir leis féin nuair a chuala sé glór ón mbord ina aice á fhiafraí de:

> 'As Éirinn tusa, nach ea? Níor cheart duit a bheith i d'aonar agus tú chomh gruama sin!'

Shuigh Tíogar in éineacht le Frou-Frou, púdal galánta, agus a cairde. D'inis sé scéal na cailíse dóibh ó thús deireadh.

'Is eagal liom go bhfuil tú sa chathair chontráilte,' arsa
François. 'An Séipéal Sistíneach, an Tibir, Michelangelo
.... Caithfidh gurb í an Róimh atá i gceist!'
'Nach mé atá dall! Is í an Róimh atá i gceist, gan dabht!'
D'ardaigh na madraí a ngloiní agus d'ól siad sláinte Thíogair.
'Go n-éirí le Tíogar an chailís a thabhairt ar ais go hÉirinn!'

D'fhág Tíogar Páras an mhaidin dár gcionn. Thaistil an traein síos tríd an bhFrainc, trí thollán faoi na hAlpa, agus ó dheas go dtí an Róimh.

Thaitin an turas traenach thar barr leis. Chuir sé suim mhór sna radhairc éagsúla a chonaic sé i rith an turais.

Bhí an Róimh go hálainn,
dar le Tíogar. Thug sé cuairt
ar an gColosseum, shiúil sé
suas na Céimeanna
Spáinneacha agus bhí *pizza*
blasta aige mar lón.
    'Níor bhlais mé *pizza*
chomh blasta leis sin
riamh cheana,' ar
seisean leis féin.

Chaith Tíogar tamall ag
machnamh go dian ar an eolas
a thug an bhean feasa dó.

'Na heaglaisí! Sea, gan dabht! Eaglais Naomh Peadar sa Vatacáin, an eaglais is cáiliúla ar domhan!'
Chaith Tíogar cúpla uair an chloig ag siúl trí Eaglais Naomh Peadar agus na séipéil go léir. Ach ní raibh dada aige de bharr a chuid siúil.

Bhí an t-am ag sleamhnú thart agus bhí a chroí i mbonn a chos. Chaith sé bonn airgid san uisce i bhFuarán Trevi. Díreach ag an am céanna rinne Iodálach lách an rud céanna.

'Mise Antonio,' arsa an strainséir, 'cén t-ainm atá ortsa?'
Níorbh fhada go raibh an bheirt acu ina gcairde móra.

Chaith Tíogar an tráthnóna in éineacht le hAntonio agus a theaghlach agus bhain sé an-sult as. D'inis Tíogar scéal brónach na cailíse dá chairde nua.

'A Thíogair, a chara,' arsa Marcella, deirfiúr Antonio, 'is eagal liom go bhfuil dul amú mór ort.'

Agus dúirt sí an véarsa os ard:

'Feicim do chailís mhór álainn,
I bpríomhchathair ársa ar bhruach abhann,
Áit a bhfuil flúirse eaglaisí breátha,
Scríbhneoirí agus péintéirí le fonn!'

'A Thíogair, a chara, déanaim amach nár fhág an
chailís Baile Átha Cliath in aon chor.'
Go luath an mhaidin dár gcionn d'fhág Tíogar slán ag a
chairde agus chuaigh sé ar ais go Baile Átha Cliath ar
eitleán.

Nuair a shroich Tíogar Baile Átha Cliath bhuail
smaoineamh é.
  'Sea,' ar seisean leis féin, 'b'fhéidir go bhféadfadh Lil
    cabhrú liom!'
Chomh luath agus a leag Tíogar cos i dteach Lil chonaic sé
an chailís ar bhord sa halla. Chuir an radharc iontas agus
gliondar air.

'A Lil,' ar seisean de
ghlór cráite, 'conas a
tharlaíonn go bhfuil
Cailís Ardach ar do
bhord anseo?'

'Ach, a Thíogair,' arsa Lil, 'nach bhfuil a fhios agat go bhfuil an chuid is mó de sheachtain caite agam á snasadh. Agus anois tig leat do scáil féin a fheiceáil inti.'

'Ó, a Lil,' ar seisean, 'shíl mé gur goidte a bhí sí agus tá an Eoraip siúlta agam ar a lorg!'

Stán an bheirt acu ar a chéile agus ansin phléasc siad beirt amach ag gáire!

Bhí sé déanach. D'iompair Tíogar agus Lil an chailís luachmhar i mála thar an droichead, thar an eaglais, feadh na sráideanna ciúine, go dtí gur bhain siad an músaem amach, faoi dheireadh.

'Tá sé ar nós í a thabhairt abhaile,' arsa Tíogar, 'í a
thabhairt ar ais go dtí an áit ar cheart di a bheith.'
Thóg Lil an chailís álainn lonrach as an mála agus chuir
ar ais ina háit féin í.

An mhaidin dár
gcionn dhúisigh
Tíogar agus é ag
súil go mór le
himeachtaí an
lae. Chuaigh gach
rud ar aghaidh go
breá de réir mar a
bhí leagtha
amach. Chuir
Tíogar fáilte
roimh an
Uachtarán agus
thug sé ar thuras
timpeall an
mhúsaeim í.

Agus an tUachtarán
ag gabháil thar an
gcailís, ar sise:

'Dá mbeadh bua na cainte ag na seoda luachmhara
sin chuirfinn geall go mbeadh scéalta suimiúla le
hinsint acu.'
D'fhéach Tíogar agus Lil ar a chéile agus rinne siad
meangadh gáire.

Bhí na grianghrafadóirí go gnóthach ag glacadh
grianghraf den Uachtarán agus den sciathán nua.
D'fhéach Tíogar thart ar an slua. D'aithin sé cuid mhaith
dá chairde agus ba léir ar a n-aghaidh go raibh siad thar a
bheith sásta.

Dá mbeadh Fraincis nó Iodáilis agat thuigfeá gurbh é a bhí
á rá acu ná:
    'Fad saoil chugat, a Thíogair! Dia go deo leat!
    Dia go deo le Brocaire Bhaile Átha Cliath!'

Thángthas ar Chailís Ardach gar d'Ardach i gCo. Luimnigh in 1868. Is d'airgead leata atá sí déanta agus í maisithe le fíolagrán óir agus le stodaí móra de chruan dearg is gorm. Tá criostal mór i lár baill in íochtar an bhuin. Tá banda d'fhíolagrán óir an-ornáideach ina chiorcal thart ar an gcailís ó chluas go cluas. Díreach faoin mbanda seo tá ainmneacha na nAspal, cé is moite de Iúdás, greanta go héadrom i scríbhinn álainn. Cloigne agus eireabaill ainmhithe snaidhmthe ina chéile atá i gcuid mhór den ornáideachas. Tá Cailís Ardach ar cheann de na sárshaothair ealaíne ó luathré na Críostaíochta in Éirinn atá ar taispeáint in Ard-Mhúsaem na hÉireann.

Frieda van Raevels

Dirk Nielandt

Meig agus Cóilín

AN LÁ BREITHE

Lá álainn samhraidh a bhí ann.

Bhí Meig ag ceannach uachtair reoite ó Bhrian Béar.

"Inniu lá breithe mo chara, Cóilín" a deir Meig.

"Beidh sé an-sásta leis an uachtar reoite seo mar bhronntanas!"

Chas Meig ar Mháirín Madra.

"Féach!" a deir sí le Máirín.
"Inniu lá breithe Chóilín!

Nach é a bheidh sásta leis
an uachtar reoite seo mar
bhronntanas!"

Ach cá raibh Cóilín ?
Ní raibh dé ar bith air!

"Tá an t-uachtar reoite leáite!" a deir Meig.
"Beidh orm bronntanas eile a fháil!"

Ar aghaidh le Meig. Chonaic sí Learaí
Luichín agus a mhamaí, Luisne.

"Sin cairrín beag deas atá
ag Learaí" a deir Meig.
"Agus is breá le Cóilín
carranna".

"Ach a Mheig!" a deir Luisne "ní leatsa é sin!
  Tabhair ar ais do mo Learaí beag é –
  anois díreach!"
"Ach inniu lá breithe Chóilín" a deir Meig
"agus níl aon bhronntanas agam dó".
"Tá Cian Crogall ag díol seanstuif
  ar an taobh eile den pháirc"
  a deir Luisne Luch.
"Bain triail as siúd go bhfeicfidh tú!"

Chonaic Meig an crogall ag teacht. "A Chian!" a bhéic sí.

"A Chian!" Rith Meig amach ar an mbóthar.

"SEACHAIN" a bhéic Cian.

"SEACHAIN!"

Ná habair! Thit gach rud amach ar an bhféar.

"Anois céard a dhéanfaidh mé?" a deir Cian go crosta.

"An dtabharfaidh tú dom an liathróid?" a deir Meig.

"An liathróid, an ea?" a deir Cian.

"Tar éis duit gach rud a leagan orm? Imigh leat!"

"Bláthanna!" a deir Meig ar ball.

"B'fhéidir gur mhaith le Cóilín bláthanna dá bhreithlá".

Thosaigh sí ag piocadh.

Ach ní raibh Garda Gadhar róshásta leis an bplean sin.

"Níl cead bláthanna a phiocadh sa pháirc!" a deir sé le Meig.

"Má ligim duitse iad a phiocadh, beidh gach duine ag iarraidh é a dhéanamh agus ní bheidh bláth ar bith fágtha!"

"Ach inniu lá breithe Chóilín" a deir Meig go brónach
"agus níl aon bhronntanas agam dó".

"Féach an bhfuil rud ar bith sa bhaile agat"
a deir Garda Gadhar. "Ní bheadh a fhios agat".

"Bainfidh mé triail as"
a deir Meig.

Chuardaigh Meig a bosca spraoi.

Olann? Ní bheadh sí sin róshuimiúil.

Luchóigín ? Bhí sí salach, caite.

Béirín beag buí ?
"Tá an iomarca grá agam dó" a deir Meig.

Babhla?
Ní bheadh sé sin ceart ach oiread.

Cairrín? Bhí sé briste.

Ní raibh rud ar bith ann.

Meig bhocht.

"Anois ní bheidh bronntanas ar bith agam le tabhairt do Chóilín"
a deir sí. "Agus is eisean an cara is fearr atá agam!"

"A Mheig! Ná bí brónach! Beidh gach rud i gceart!"
Cian Crogall a bhí ann. Ní raibh sé crosta níos mó.

"Pioc amach rud éigin" a deir Cian.

"Rud ar bith!"

Phioc Meig an liathróid.

"Beidh Cóilín chomh sásta!" a deir sí.

"Ach cá bhfuil Cóilín?" a deir Máirín Madra.

"Táimid ar fad ag iarraidh 'Lá breithe sona'!" a rá leis" a deir Brian Béar.

"Dáiríre?" a deir Meig "Anois beidh lá breithe iontach aige!"

Sa chlós súgartha a bhí Cóilín.
"Lá breithe sona duit, a Chóilín!"
a deir gach duine.

"Ní raibh súil ar bith agam leis seo ar fad inniu !" a deir Cóilín.

" Ní bheidh mo lá breithe ann go dtí amárach!"

"Ó ná habair!" a deir Meig.

"Ach tá mé chomh sásta!" a deir Cóilín agus é ag gáire.

"Is cara an-speisialta thú a Mheig – an-speisialta go deo!"